Llwybrau'r Cof

Trysor i'r dyfodol, llwybr i'r gorffennol

Elen Wyn Roberts

bwthyn
GWASG Y BWTHYN

Diolch i
Kristina Banholzer
Dylunio GraffEG
Marred Glynn Jones
Ceri, Rhianwen, Megan, Dafydd, Twm, Kyla, Mia ac Elain
Amgueddfa Lechi Cymru, Llanberis
Jenny Greene, Prifysgol Bangor
Richard Outram
Valla's, Bangor

…ac i bawb a fu'n help ar hyd y ffordd

Elen Wyn Roberts 2019
Gwasg y Bwthyn 2019

ISBN: 978-1-912173-14-3

Cyhoeddwyd gyda chymorth ariannol Cyngor Llyfrau Cymru

Cyhoeddwyd gan:
Gwasg y Bwthyn, Caernarfon
gwasgybwthyn@btconnect.com

Dylunio: Dylunio GraffEG
Darluniau lliw: Valériane Leblond
Ffotograffau:
Kristina Banhoffer – 6-7, 16-17, 18-19, 30, 34-35, 46, 49, 54, 57, 58, 63, 71, 79, 85, 87, 101, 113
Richard Outram – 110
Adobestock – 64, 99
iStockphoto – 22

Er cof am Mam, Ann Grace Thomas (Nansi),
oedd mor hoff o hel atgofion

a Dad, Wyn Thomas,
oedd yn storïwr heb ei ail

ac i Ann a holl staff Cartref Rhos, Malltraeth
am eu cefnogaeth a'u cyfeillgarwch ac am wneud siwrnai a allai
fod yn anodd a thywyll ar brydiau yn haws i'w theithio.

Croeso!

Croeso i'ch llyfr chi – i'w lenwi fel y mynnwch gyda'ch atgofion, eich lluniau a'ch straeon.

Does dim rhaid i chi ei lenwi mewn unrhyw drefn nac i gyd ar unwaith, chwaith. Nid prawf na holiadur ydy hwn, ond cyfle i chi gofnodi eich hanes, a'i rannu gyda theulu a ffrindiau.

Cymerwch eich amser a rhannwch eich straeon dros baned – byddwch yn siŵr o gofio mwy wrth sgwrsio a chymharu profiadau.

Bydd yn gofnod unigryw o gyfnod, yn drysor i'r dyfodol ac yn llwybr i'r gorffennol pan fyddwch ei angen.

Mwynhewch!

Yn y dechreuad

Enw llawn:

....

Dyddiad a man geni:

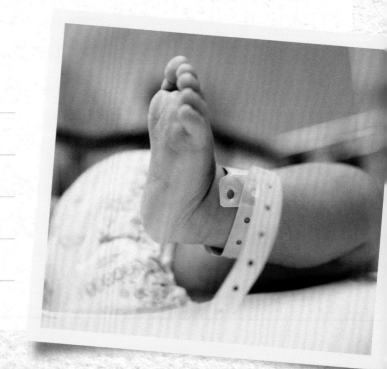

....

....

....

....

Pam y dewiswyd yr enwau hyn i chi?

....

....

Ai fel hyn y cawsoch eich nabod wedyn,
neu a oedd gennych enw arall?

....

....

Beth wyddoch chi am eich genedigaeth?

(Oedd hi'n dywydd mawr? Gyrhaeddoch chi'n gynnar 'ta'n hwyr? Gafodd eich mam drafferthion?)

....

....

....

....

Sut fabi oeddech chi yn ôl y sôn?

....

....

....

Beth oedd yn digwydd yn y byd pan gawsoch chi'ch geni?

....

....

....

....

Dyddiau cynnar

....

Gyda phwy gawsoch chi'ch magu?

....

....

....

....

Disgrifiwch nhw a'u dylanwad nhw arnoch chi.

Bro Mebyd

Ble cawsoch chi'ch magu?

Sut gymuned oedd yno?

Sut mae'r lle cawsoch chi'ch magu wedi dylanwadu arnoch?

Cartref

Disgrifiwch gartref eich plentyndod ...
beth gofiwch chi am y dodrefn, y lliwiau, y teimlad ...

Sut ystafell wely oedd gennych chi? Oeddech chi'n rhannu llofft?

....

....

....

....

....

....

....

Beth oeddech chi'n gorfod ei wneud i helpu o gwmpas y tŷ?

_____

_____

_____

_____

**Disgrifiwch y tu allan i'r tŷ ... yr ardd neu'r cowt,
a beth roeddech chi'n ei wneud yno.**

_____

_____

_____

_____

Ble roedd y tŷ? Yng nghanol stryd, yng nghefn gwlad, ar stad?

Hanes Teulu

Enw eich mam:

Enw eich tad:

Dyddiad geni:

Dyddiad geni:

Ble cafodd eich mam ei magu?

....

....

Beth wyddoch chi am deulu eich mam?

....

....

....

....

O ble roedden nhw'n dod? Beth oedd eu gwaith?

....

....

....

....

....

Ble cafodd eich tad ei fagu?

Beth wyddoch chi am deulu eich tad?

O ble roedden nhw'n dod? Beth oedd eu gwaith?

Lle i lun

Disgrifiwch eich atgofion cynharaf. *Meddyliwch am sut roeddech chi'n teimlo, beth roeddech chi'n ei weld a'i glywed ...*

Trysorau a Theganau

Pa bethau oeddech chi'n eu trysori yn blentyn?

Beth oeddech chi'n mwynhau ei chwarae?

Pa degan oedd gennych i fynd i'r gwely?

Yr Ysgol Gynradd

Beth yw eich atgofion cynharaf o'ch amser yn yr ysgol?

....

....

....

....

Sut oeddech chi'n cyrraedd yr ysgol?

....

....

....

Pwy oedd eich ffrindiau?

....

....

....

Pa gemau oeddech chi'n eu chwarae ac ymhle?

....

....

....

Pwy oedd eich athrawon a sut rai oedden nhw?

....

....

....

Beth oedd eich hoff ginio ysgol?

....

....

A'ch cas ginio ysgol?

....

....

Oeddech chi'n aelod o dîm neu glwb yn yr ysgol gynradd?

Beth oedd eich swydd ddelfrydol pan oeddech chi'n blentyn?

Ydych chi'n cofio bod yn arbennig o falch o unrhyw beth a wnaethoch yn yr ysgol gynradd?

Lle i lun

Amser i Chich Hun

Beth oeddech chi'n mwynhau ei wneud yn blentyn?

_____

_____

_____

Ble roeddech chi'n hoffi treulio amser?

_____

_____

_____

Oeddech chi'n cael gwersi y tu allan i'r ysgol?
Gwersi nofio neu biano ...?

Faint o arian poced oeddech chi'n ei gael?
Sut oeddech chi'n ei wario?

Oeddech chi'n casglu unrhyw beth?

....

....

....

....

Oeddech chi'n gwneud rhywbeth
i hel arian poced?

....

....

....

....

....

Ffrindiau Ffyddlon

Oedd gennych chi anifeiliaid anwes pan oeddech chi'n ifanc?

....

....

Beth oedd eu henwau?

....

Pa anifail fuasech chi wedi hoffi ei gael?

....

Arwyr Bore Oes

Pwy oedd sêr eich plentyndod?

....

....

....

Oeddech chi am fod fel rhywun enwog? Neu am briodi rhywun enwog?

....

....

....

Dyddiau Difyr

Disgrifiwch unrhyw ddyddiau cofiadwy o'ch plentyndod ...
trip ysgol Sul, trip ysgol, mynd i'r ffair, trip i'r traeth,
diwrnod i'r brenin gyda'r teulu.

···

···

···

···

···

···

···

···

Dillad

Ble roeddech chi'n prynu eich dillad?

_____

_____

Beth ydych chi'n ei gofio am fynd i siopa?
Oeddech chi'n mwynhau neu'n diflasu'n sydyn?
Oeddech chi'n swnian neu'n hawdd eich plesio?

_____

_____

_____

Oedd gennych chi hoff 'owtffit'?

....

....

Beth oeddech chi'n casáu gorfod ei wisgo a pham?

....

....

....

....

....

....

....

....

Lle i lun

Bwyd i'r Enaid

Pa brydau bwyd oedd i'w cael gan amlaf yn eich tŷ chi?

Pa arogl bwyd sy'n mynd â chi'n ôl i'ch plentyndod?

Oeddech chi'n helpu i baratoi bwyd? Oeddech chi'n mwynhau?

Pa 'drîts' oedd i'w cael?

....

....

Pa bethau da / fferins / losin sy'n eich atgoffa o'ch plentyndod?

....

....

Oeddech chi'n cael bwyd o rywle arall neu yn rhywle arall weithiau?
Siop tsips neu gaffi?

....

....

....

Dydd Sul

Disgrifiwch ddydd Sul eich plentyndod ...

Y Nadolig

Disgrifiwch Nadolig eich plentyndod, o ddeffro'n y bore (neu'r oriau mân) i gysgu'r hwyr.

_____

_____

_____

_____

Oedd gennych chi hosan Nadolig?
Ble roeddech chi'n ei gosod? Beth fyddai ynddi?

Beth oedd yr anrheg gorau gawsoch chi erioed?

Beth oedd y siom mwyaf a gawsoch?

Beth oedd yn rhoi'r cyffro mwyaf i chi?

Sut drimins oedd gennych?

Oes rhai traddodiadau wedi parhau gennych?

Oedd yna wyliau pwysig eraill roeddech chi'n eu dathlu fel teulu?

Gwyliau

Ble buoch chi ar wyliau pan oeddech chi'n blentyn
a beth sy'n aros yn y cof amdano?

(Fuoch chi dramor? Neu'n aros gyda theulu? Fuoch chi i wersyll yr Urdd
neu gyda'r Sgowtiaid neu'r ysgol?)

Yr Arddegau

Sut un oeddech chi yn eich arddegau?

Swil	Direidus	Poblogaidd
Hyderus	Bach o rebel	Prysur
Meddylgar	Anodd eich trin	Bywiog
Hunanol	Oriog	Uchelgeisiol
Mentrus	Pryfoclyd	Bodlon
Ansicr	Distaw	Diog
Hoff o gartref	Gweithgar	Cyfeillgar

Hoff bethau

Cân

Ffilm

Rhaglen radio / teledu

Actor/es

Llyfr

_____

Bwyd

_____

Dillad

_____

Lle

_____

Llun

_____

Person

_____

Peth

_____

Yr Ysgol Uwchradd

Ble roedd eich ysgol uwchradd?

Sut oeddech chi'n cyrraedd yno?

Disgrifiwch eich gwisg ysgol.

Pwy oedd eich ffrindiau?

....

....

Beth oedd eich hoff bynciau ...

....

... a'ch cas bynciau?

....

Pa athrawon gafodd fwyaf o ddylanwad arnoch chi a pham?

....

....

....

Beth ydych chi'n cofio ei gael i ginio gan amlaf?

....

....

Lle i lun

Oeddech chi'n aelod o dîm neu glwb?

Beth oedd y peth mwyaf drygionus i chi ei wneud yn yr ysgol?

A beth oeddech chi fwyaf balch ohono?

Fuoch chi ar daith gyda'r ysgol o gwbl? Beth ydych chi'n ei gofio amdani?

Beth oedd eich dyheadau am y dyfodol?

Beth oedd eich ofnau?

Amser i chi'ch hun

Gyda phwy oeddech chi'n treulio'ch amser?

Beth oeddech chi'n mwynhau ei wneud?

Sut oeddech chi'n treulio'ch penwythnos?

Oeddech chi'n aelod o glwb / gymdeithas / dîm / gôr ...?

....

....

Disgrifiwch unrhyw swydd rhan-amser fu gennych.

....

....

Ar beth oeddech chi'n gwario'ch arian?

....

....

Gyda phwy a ble cawsoch chi'ch cusan gyntaf?

....

Lle fuasech chi'n mynd ar ddêt?

....

....

Gadael ysgol

Beth ydych chi'n ei gofio am eich diwrnod olaf yn yr ysgol?

....

Beth wnaethoch chi ar ôl gadael ysgol?

....

....

Gyda phwy wnaethoch chi gadw cysylltiad ar ôl gadael?

....

....

Tro cyntaf i bopeth

Eich record / casét / CD cyntaf

Eich cariad cyntaf

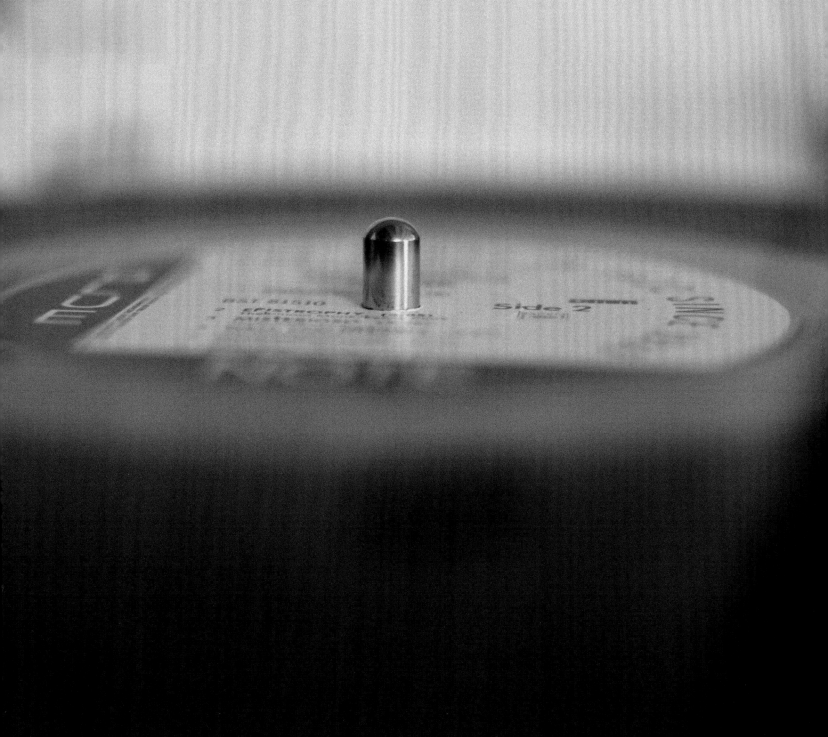

Eich swydd gyntaf

....

....

Eich car cyntaf

....

....

Ar beth warioch chi'ch cyflog cyntaf?

....

....

Eich gwyliau cyntaf heb eich rhieni

....

....

....

Y ffilm gyntaf i chi ei gweld yn y pictiwrs

....

....

Y tŷ cyntaf i chi fyw ynddo heb eich rhieni

....

....

Y gêm gyntaf i chi ei gweld yn fyw

....

....

Eich gìg / cyngerdd cyntaf

....

....

Byd Gwaith

Beth oedd eich gwaith ar ôl gadael byd addysg?

....

Sut oeddech chi'n teimlo am y gwaith? Oedd o'n galed?
Yn rhoi boddhad i chi?

....

....

....

WEEK ENDING 18.7.64.		No. 933		NAME Á Jones.		FORM No. 4A				
GROSS			G.N.I.C.		INCOME TAX		NAT. INS.		NETT	
14	14	–	4	9	1 2	–	11	8	12	15 7

Aethoch chi ymlaen i swyddi eraill? I beth ac ymhle?

....

....

Disgrifiwch unrhyw gyd-weithwyr cofiadwy.

....

....

Sut oeddech chi'n hoff o wario'ch cyflog?

....

Beth ydych chi fwyaf balch ohono wrth edrych yn ôl ar eich dyddiau gwaith?

....

....

Pobl o bwys

A wnaethoch chi briodi neu gyd-fyw â rhywun?

Ble wnaethoch chi gyfarfod?

Ble fuoch chi ar eich dêt cyntaf?

Beth sy'n aros yn y cof am y cyfnod roeddech chi'n canlyn?

Oedd gennych chi gân neu le oedd yn arbennig i chi?

Dyddiau i'w cofio

Disgrifiwch y dyddiau fu'n gerrig milltir yn eich bywyd.

Dyddiau i'w cofio

Dyddiau i'w cofio

Lle i lun

Hen Blant Bach

A gawsoch chi blant?
Neu a fuoch chi'n rhan bwysig o fywyd plant pobl eraill?

....

....

Beth yw eu henwau?

....

Pryd ddaethon nhw yn rhan o'ch byd?

....

Beth am eu pryd a'u gwedd?

....

....

A'u personoliaeth?

....

....

Ydyn nhw'n debyg i chi mewn unrhyw ffordd?

....

....

Lle i enaid gael llonydd

Disgrifiwch y mannau sydd wedi chwarae rhan bwysig yn eich bywyd.

Ble roeddech chi'n mynd i gael llonydd?

_____

_____

Ble roeddech chi'n teimlo hapusaf?

_____

_____

Ble ydy'r lle mwyaf diddorol i chi fod ynddo?

_____

Ble fuoch chi'n byw hwyaf?

_____

Ble ydy'r lle pellaf i chi fod?

_____

Ble roeddech chi'n teimlo leiaf cyfforddus?

_____

Y byd a'i bethau

Pa ddigwyddiadau o bwys sydd wedi bod yn ystod eich oes chi?
Beth ydy'ch atgofion chi ohonynt?

_____

_____

_____

_____

_____

Beth ydy'r newid mwyaf i ddigwydd yn ystod eich oes?

....

....

....

Beth sydd wedi newid er gwell ...

....

....

....

... ac er gwaeth?

....

....

....

Tro yn y ffordd

Disgrifiwch unrhyw ddigwyddiadau sydd wedi cael effaith ar eich bywyd, e.e. symud ardal, dyrchafiad, damwain, salwch, colli rhywun annwyl...

Beth sy'n eich gwneud chi'n chi?

Beth sy'n gwneud i chi chwerthin?

....

....

Beth sy'n eich gwneud chi'n flin?

....

....

Pwy neu beth sydd wedi cael y dylanwad mwyaf arnoch?

....

....

Pa ddywediadau fyddwch chi'n eu defnyddio yn aml?

....

....

....

Sut fyddech chi'n disgrifio eich hun?

	Hwyr		Hoff o arwain		Di-drefn
	Prydlon		Hoff o gymryd sedd gefn		Deryn y nos
	Cynnar		Hoff o fod mewn cwmni		Boregodwr
	Blêr		Hoff o fod ar eich pen eich hun		Hoff o gartref
	Twt		Trefnus		Hoff o grwydro

Sut fyddai pobl eraill yn eich disgrifio?

Oes yna unrhyw beth hynod yn perthyn i chi / unrhyw arferion gennych y byddai pobl eraill yn eu gweld yn od neu'n wahanol?

Pa gyngor fyddech chi'n ei gynnig i berson ifanc ar gychwyn taith bywyd?

Gyda pha berson hanesyddol fyddech chi'n hoffi cael paned a sgwrs?

_____

_____

Beth ydy'ch syniad chi o ddiwrnod delfrydol?

_____

_____

Sut fyddech chi'n dymuno cael eich cofio?

_____

_____

_____

	Hoff:	Cas:
Bwydydd		
Math o gerddoriaeth		
Arlunydd		
Chwaraeon		
Rhaglenni radio		
Rhaglenni teledu		
Ffilm		
Awdur		
Tymor		

	Hoff:	Cas:
Amser o'r dydd		
Arogleuon		
Dillad		
Comedïwr		
Diod		
Blodyn		
Lliw		
Emyn		
Gwleidydd		
Person enwog		
Cân		
Actor		
Llais		
Llyfr		

Eich coeden deulu chi

Defnyddiwch y tudalennau canlynol fel y mynnwch
– i nodi mwy o atgofion, i lynu lluniau, i gynnwys
unrhyw beth sydd o bwys i chi ...

Lle i lun